반려견의 배설물과 환경의 연관성에 대한 보고

Report on the link between dog feces and the environment

저자| 임혜희

KB075608

반려인과 반려견 배설물 처리에 대한 실태 및 인식조사

Survey on the status and perception of pet and dog waste disposal

저자 임혜희

경기대 동물매개 자연치유 학과 석사 재학 중
구리시 반려 사랑 연대모임 밴드 장
예비사회적기업 아름다운 동행 포펫츠협동조합 이사장
비영리법인 댕댕's school 대표
사회복지사
심리상담사
동물매개심리상담사
아동, 청소년 지도사
노인 심리상담사
방과 후 지도사
반려동물관리사
반려동물장례지도사
동물생명윤리교육 지도사

저서

아름다운 동물과 함께하는 행복한 공존 강사 메뉴얼
아름다운 동물과 함께하는 행복한 공존 학생 워크북 1, 2, 3권
길냥이스토리 교구
동물가족의 형태 교구
동물수호대(보드게임) 게임으로 알아가는 동물복지법

구리시에서 반려견 **보리** (보더콜리 수컷 6세)를 키우며
반려동물의 복지를 위해서 다양한 연구 활동 중

반려인 1,500만 시대를 넘어서고 있습니다.
반려동물을 살아있는 가족처럼 귀중한 존재로 여기는 사람들을
'pet'과 'family"의 합성어로 반려동물 펫팸족이라고 부릅니다.

출처 (네이버 국어사전)

인구가 고령화되고 1인 가구가 늘어나면서 반려인과 반려견이 급속하게 증가하고 있습니다.

저자도 가족 같은 반려견 보리(보더콜리6살)를 기르면서 제 두 명의 자녀들과 양육 방식이 비슷하다고 생각했습니다. 자세히 표현하자면 반려동물이 더 많은 책임감과 인내심을 요구합니다. 하지만 어떤 표현으로 다 담을 수 없는 사랑으로 부메랑 되어 돌아온다고 생각합니다.

저도 비반려인이었던 때를 떠올려 보면 반려인들이 이해가 가지 않았던 적이 많았습니다.

특히 펫매너를 지키지 않는 보호자와 길거리에 방치되어 버려진 반려견 배설물을 볼 때면 비반려인이었을 때도 반려인인 지금도 불쾌하고 안타까운 것은 사실입니다.

이 연구를 시작하게 된 계기가 있습니다.
반려견과 동네를 산책하고 있는데 동네 어르신이 개를 데리고,

"이리 와서 우리 밭에다 똥 좀 싸고 가."

라고 하셨어요.

보통 사람들은 집 앞에 배변 활동하는 것만으로도 싫어하는데 일부러
밭에 와서 똥을 싸라니.

"할머니, 밭에 싸면 좋아요?"
"그럼 거름 되잖아."

아. - 근데 거름이 진짜 되긴 할까?
여러 가지 의문이 들었습니다.
사람들이 반려견과 산책하면서 배설물을 왜 안 치우는 것일까?
혹시 수거하지 못하는 어떤 이유가 있을까?
귀찮아서일까, 아니면 토양에 그냥 버려도 된다고 생각하는 것일까?
혹시 수거는 했는데 집으로 다시 가져가지 못한 원인은 무엇일까?
호기심을 넘어 이 문제는 반려인으로서 꼭 짚고 넘어가야겠다는 결심이 들었
습니다.

저자는 반려동물 관련해 여러 직업군에 종사하는 대학원 동기들에게 실제적인 문제에 대해서 직접 문답 방식을 통해 이 연구의 가설이 만들어지고 설문 문항, 다양한 국내외 논문, 기사 등 문헌조사로 연구를 시작할 수 있었습니다.

설문조사와 문헌조사를 통해 반려인들이 반려견과 산책 시에 배설물을 수거하지 않고 방치하는 경우들이 다수 있었고, 야외에서 생활하는 길고양이 들은 어린아이들이 이용하는 어린이놀이터 모래에 배설하는 습성이 있는데 이렇듯 방치된 배설물이 모래 놀이터와 토양과 지구환경에 유해하며 토양에 거름이 되지 않을뿐더러 (복잡한 퇴비화를 거치더라도 사람이 섭취하는 식물의 거름으로는 쓸 수 없고 관상용에만 사용가능) 오염된 토양을 통해서 동물과 사람에게 감염시키고 빗물을 타고 분해되어 수질오염에까지 악영향을 준다는 결론에 이르렀습니다.

개의 배설물은 질산염이 풍부해서 물에서 분해될 때 물속의 산소를 줄이고 암모니아를 발생시켜서 수생생물에 악영향을 미치고 기생충 알이나 대장균 등 살모넬라, 파보바이러스 등 수질 악화에 오염원으로 규정한 문헌조사 결과 (국내 보건환경학회, 수의학회 해외 논문, 기사 등)과 있습니다.

미국은 전체 가구의 절반이 개를 키우는데 그 수가 2018 년 기준 8 천 9 백만 마리에 달하고 개를 키우면서 연간 1,130 만 톤의 분뇨가 배출되는 데 반려인의 무려 40% 가 산책 중 배설한 분뇨를 치우지 않고 있어서 반려 생활이 환경에 미치는 영향에 관한 연구와 기사가 늘어나고 인식이 제고되고 있다 .

어린이 놀이터 중 모래 놀이터에서 모래를 채취하여 분석한 결과 고양이 분뇨가 응고형 모래 등과 섞여 고체 쓰레기로 배출 및 매립된 후 빗물을 통해 토양을 오염시키고 공공수역에까지 유입되어 톡소플라스마의 감염원이 되어 야생수달의 사망원인이 된다는 발표 자료도 있다 .

출처: (우리동생 2020.8.25.일 박아름 잘키움동물복지 행동연구소)

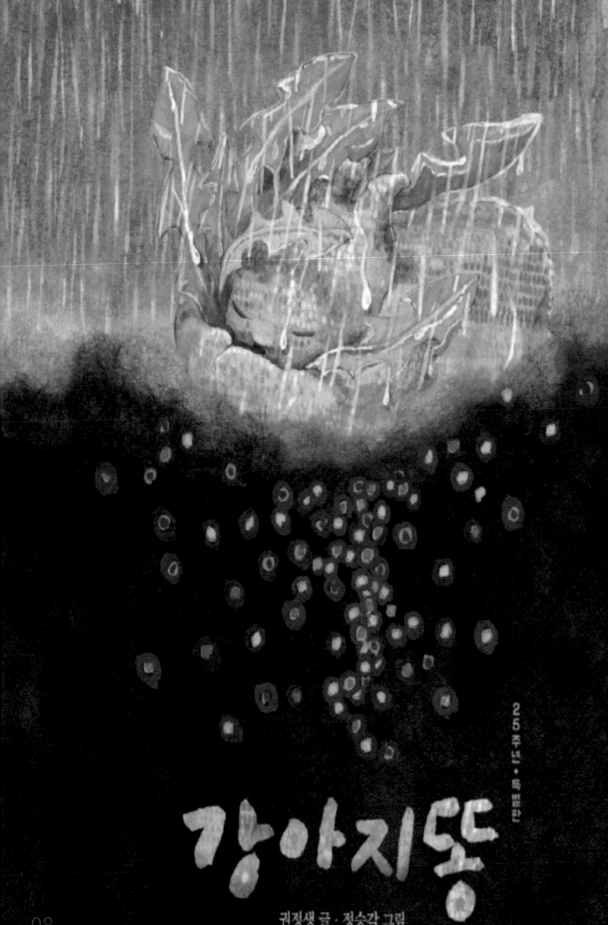

강아지똥

권정생 글 · 정승각 그림

강아지똥의 동화처럼 강아지똥이 거름이 되어 민들레꽃을 피웠다는 것은 동화일 뿐이었을까.
이제는 사람들의 잘못된 인식으로 반려동물과 산책 때에 배설물을 수거하지 않고 방치하면서 거름이 될 것이라는 핑계를 댈 수 없을 것이다.

미국 농무부는 2005년 12월 개똥 퇴비화하기라는 핸드북을 발간하여 방법, 준비물, 장점 등을 홍보했는데 퇴비화 성공 때에는 토양의 물리적 환경과 양분을 개선해 주는 양질의 비료가 생산될 수 있다는 가능성을 열어 주었다.

이런 개똥 자원화를 위해서 계속 관심과 노력, 연구가 필요할 것이다.
그전에 반려인이 할 수 있는 최선은 반려견과 산책할 때 배설물을 수거해서 배설물 전용 수거함에 투척하는 일이다.
우리나라도 해외처럼 많은 연구로 배설물로 전기도 밝히고 퇴비로도 사용되는 그런 날이 하루속히 오기를 반려인으로 바라본다.

2023년 11월 11일 어느가을문턱에서 연구자 임혜희

작은 연구보고서

반려동물의
배설물 처리 방법 인식과
실태조사를 통한 연구 보고서

How to dispose of the excrement of pets
Research Report through Perception and Survey

경기도 마을공동체 작은 연구

연구자 임혜희

초록

반려동물을 키우는 가구가 늘어남에 따라 반려동물의 배설물 처리는 매우 중요한 문제가 되어가고 있다. 이에 반려견을 키우는 반려인들을 대상으로 반려견 배설물 처리 실태와 배설물이 환경에 미치는 인식을 파악하여 바람직한 반려동물 배설물 처리 방법을 모색 하고자 한다. 또한, 동물의 배설물이 환경(토양)에 미치는 영향에 대하여 문헌조사를 통해 반려인들이 반려동물의 배설물을 올바르게 처리할 방법을 제시한다.

이 작은 연구를 시작으로 반려인들의 배설물 처리에 대한 인식개선과 배설물 처리를 위한 제도 마련의 작은 단초가 제공되기를 기대한다.

주제어

펫티켓

배설물   수거함

수질   매너
오염   반려   워터
          동물

환경   퇴비
오염

대장균   기생충

목차

표목차

제1장. 서론

1. 연구의 필요성

우리나라 반려인은 1500만명을 넘어서고 있으며, 반려가구 수는 매년 해마다 증가 추세에 있다. (농림축산부, 2021)

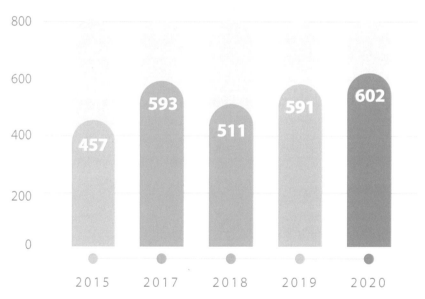

연도별 반려 가구 수와 추이(2015~2020년)

단위: 만
출처 : (농림축산부 동물복지 정책관 보도자료. 21.04.22)

등록하는 반려동물 수는 해마다 증가하고 있으며, 등록하지 않고 기르는 가구 수까지 포함하면 많은 시민이 반려견과 함께 살고 있음을 알 수 있다. 이렇게 반려동물과 함께 생활하다 보면 불편함과 사회적 갈등 요소가 발생하는데 그중 가장 많은 민원 사항은 반려동물 배설물 방치에 대한 민원이다. (충북일보 임영은기자, 22.06.16)

반려견을 가족처럼 생각하는 펫팸족 1500만 시대에 도달하였고 전국 638만가구에서 반려동물 860만 마리를 키운다. (농림축산부 농업생명정책관,2021,04,22)

반려동물 연관 산업시장 규모는 2022년 8조 원 수준에서 2027년 15조 원까지 성장하고 있으며 (농림축산식품부 반려산업동물의료팀 2023.08.14.),

반려동물 산업은 급성장하고 있는 반면, 반려인들의 지켜지지 않는 펫티켓으로 반려인과 비반려인의 갈등이 증가하고 있는 현실이다. (농림축산부 국민권익위:반려동물관리방안 2022.08.18.)

그중 가장 큰 갈등 요소인 미수거된 반려동물 배설물에 대한 반려인들의 인식조사와 배설물처리 실태조사를 통해 현 문제점을 재고해 보고 더 나아가 성숙한 펫매너를 통해 동물과 사람이 사회에서 함께 아름다운 공존을 위한 해결책 제시에 연구의 필요성이 있다.

2. 연구의 목적

본 연구는 반려견을 키우고 있는 반려인들을 대상으로 산책 시 배설물 처리실태와 환경에 대한 영향에 대한 인식조사와 더불어 동물배설물이 토양에 미치는 유해성에 대한 문헌조사를 통해 올바른 펫티켓 문화 정착을 위한 근거 자료를 제시하고자 실시되었다.

구체적인 연구의 목적은 다음과 같다.

1) 반려인들의 배설물 처리에 대한 인식과 실제적인 배설물의 처리 실태조사
2) 반려동물 배설물이 토양에 미치는 효과에 대한 선행연구 문헌조사

제2장. 연구대상 및 방법

1. 연구 방법

선행 연구 등을 통해 개발된 초기 설문지를 경기대학교 대학원 동물매개
치유학과 7기 대학원생을 대상으로 예비 조사(pilot survey)를 실시하여
18개의 설문 문항을 도출하였다. 예비조사는 2023년 5월부터 2주간 실시
하였으며, 대상자 수는 305명이다.

예비 조사 방법	(1) 자료수집법 - 질적 조사(면접법, 포커스 그룹 인터뷰) (2) 조사대상 - 경기대 대학원 동물매개치유학과 7기 (3) 조사기간 - 2023년 5월부터 2주간 (4) 조사장소 - 경기대학교 내 콤플렉스 501호
설문조사	(1) 자료수집법 - 인터넷 설문조사(구글폼) (2) 조사대상 - 애견동물을 키우는 반려인 (3) 조사기간 - 2023년 7월부터 9월까지 90일간 (4) 홍보방법 - 온라인 홍보 : 반려인 동호회 및 SNS를 통해 홍보 　　　　　　대면 홍보 : 구리시반려견놀이터, 구리시한강시민공원, 장자호수공원, 공원산책로, 경기도반려견산책로

제3장. 연구결과

1. 설문조사

이 연구는 경기도에 거주하는 반려견 양육자를 대상으로 반려견 배설물에 대한 처리실태와 환경영향에 대한 인식을 조사하고, 원활한 배설물 처리를 위한 선제 조치를 강구하기 위하여 실시되었다.

미수거된 배변으로 인한 갈등 요소가 크게 작용했고 이 문제를 해결하려는 반려인들의 노력과 국내, 국외 연구를 통해 반려동물 배설물이 환경에 유해하며 배설물을 미수거할 시 대장균과 기생충 알로 인한 감염으로의 확대 더 나아가 토양의 오염은 몇 년까지 이어진다는 결과를 문헌 연구를 통해 도출해 내었다. 또한 설문조사는 이런 큰 관심으로 지역의 동물 관련 동호회와 지역 커뮤니티의 네트워크의 협력으로 높은 설문 응답률을 보였다.

> 응답자 수 : 305명 / 기간 : 90일 / 장소 : 경기도 / 대상 : 반려견 양육자 305

연구대상자 305명 중 여성이 220명(73.3%)으로 남성 80명(26.7%) 보다 많았는데, 이는 반려견 산책을 담당하는 성별 중 여성이 더 많이 산책을 담당하다 보니 설문에 응답자가 여성이 높은 것으로 나타났다.

연령 분포도는 20대가 가장 많았으며, 40대의 반려인은 자녀로 인해 반려동물을 입양해서 부모가 책임지는 경우가 많으므로 40대가 응답자에 많이 포함되었으며 30대는 비혼 가구가 늘면서 반려동물을 가족으로 사는 청년들이 많아지고 50대 이후는 자녀들이 출가하거나 성장한 후 외롭고 적적해서 반려동물을 입양해서 기르고 있는 경우가 많으므로 실제의 입양 분포도와 응답률 나이 분포도는 실제적인 양육분포도와 연관성이 있다.

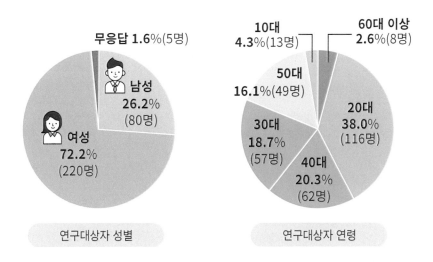

연구대상자 성별   연구대상자 연령

경기도 구리시에 거주하는 반려인들이 조사에 많이 참여하였고, 그 외 지역도 많은 관심으로 설문에 응답해 주었다.

반려견 양육 특성에 대한 조사 결과, 반려견 1마리를 기르고 있는 경우가 70.2%(214명)로 가장 많았으며, 2마리를 기르고 있는 경우는 22.6%(69명)로 약 93%가 반려견 2마리 이하를 기르고 있었다. 다른 동물과 함께 양육하는 경우도 6.6%(20명)를 차지하였다.

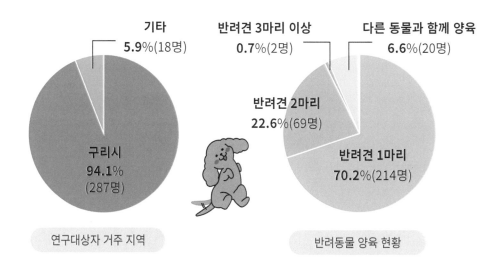

연구대상자 거주 지역

반려동물 양육 현황

반려인들은 배설물 처리를 철저하게 수거하는 반려인이(86.7%)로 매우 높았고, 수거하지 않는다는 반려인은(0.7%)로 극히 낮았다. 배변 봉투를 준비하지 못했다는 응답이 129명(76%), 배설물이 토양에 거름이 될 거라는 응답이17명(10%), 수거함의 부족이23명(14%)로 나타났다. 앞으로 펫티켓의 나아갈 바가 대변을 넘어서 소변까지 확장되어야 되어야 한다. 또한 반려인들은 소변도 처리할 의사가 있다고 나타났다.

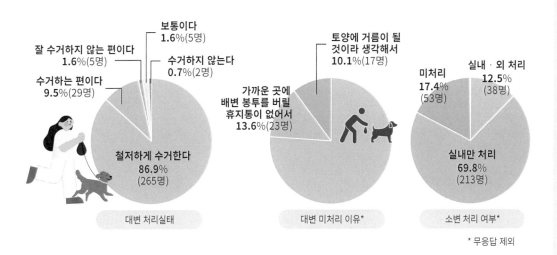

보통이다
1.6%(5명)

잘 수거하지 않는 편이다
1.6%(5명)

수거하지 않는다
0.7%(2명)

수거하는 편이다
9.5%(29명)

철저하게 수거한다
86.9%
(265명)

대변 처리실태

토양에 거름이 될 것이라 생각해서
10.1%(17명)

가까운 곳에 배변 봉투를 버릴 휴지통이 없어서
13.6%(23명)

대변 미처리 이유*

미처리
17.4%
(53명)

실내·외 처리
12.5%
(38명)

실내만 처리
69.8%
(213명)

소변 처리 여부*

* 무응답 제외

반려인들은 배설물 처리를 위해서는 배설물 전용 수거함이 필요하다고 292명(96%)가 답변한 반면 필요하지 않다는 12명(4%)에 그쳤다.

실내는 잘 처리하고 있지만 실외에서 매너워터를 사용해서 소변을 처리할 의향이 있는지의 설문에 사용 의향이 있다 라고 답변한 반려인은 197명(65.2%)이지만 매너워터를 갖고 다니기가 번거로울 것 같다는 72명(23.8%) 매너워터 사용의향이 없다 라는 답변도 12명(4%)이었다.

* 무응답 제외

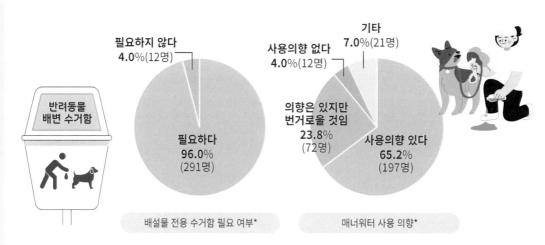

배설물 전용 수거함 필요 여부*   매너워터 사용 의향*

배설물의 올바른 처리를 위해 가장 필요한 것은 반려인들의 인식 147명 (48%)과 벌금을 강화해야 한다 45명(15%) 배변봉투를 비치하면 배설물 처리를 용이하게 할 것이란 답변은 58명(19%) 그 외 반려문화조례재정이 필요하다 30명(10%) 배설물 수거 캠페인이란 답변은 25명(8%)이다.

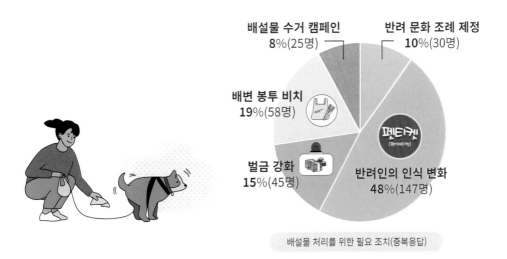

배설물 수거 캠페인
8%(25명)

반려 문화 조례 제정
10%(30명)

배변 봉투 비치
19%(58명)

벌금 강화
15%(45명)

반려인의 인식 변화
48%(147명)

배설물 처리를 위한 필요 조치(중복응답)

The Link Between Animal Feces and Zoonotic Disease

"동물의 배설물과 동물원성 질환의 연관성"

The Link Between Animal Feces and Zoonotic Disease

Emily Beeler, DVM, MPH

Meredith May

Animals add a great deal of enjoyment to our patients' lives, and pet ownership can lead to lower stress, lower blood pressure, and increased exercise.[1,2] However just as human feces present health hazards, so do animal feces. Primary care physicians can help prevent health problems in their patients by promoting good sanitation and veterinary care to their pet-owning patients.

Animal owners may mistakenly believe that only fresh, odiferous feces present a health risk. In fact, many parasite eggs found in feces do not reach the infectious stage until days or weeks after the animal defecated. Allowing feces to dry out and disintegrate contaminates the soil and creates an elevated risk for exposure to parasites. Most parasite eggs can remain viable in soil for months or years. People or other animals may become infected through fecal-oral exposure to this soil. The single most important step pet owners can take to protect both themselves and their pets is to remove stool *daily*. Weekly removal is not frequent enough.

Duration from Defecation to Infectivity of Common Zoonotic Pathogens in Animal Stool

Immediate – Bacteria, *Giardia* cysts infectious

24 hours – (cats) *Toxoplasma* oocysts start to become infectious

7 days – Roundworm eggs start to become infectious

AGING ANIMAL FECES

Disintegrating feces contaminate soil with parasite eggs for months or years

Duration of infectivity in feces of bacteria, *Giardia* cysts, and *Toxoplasma* oocysts depends on ambient temperature. These pathogens can survive for weeks in refrigeration-level temperatures. Roundworm eggs typically survive for years in contaminated soil.

There are many pathogens that can be found in animal stool. Animals infected with intestinal pathogens may be asymptomatic, have diarrhea, or may develop systemic disease. Certain infections in pets, such as ascariasis and giardiasis, are easily detected in routine tests on pet feces performed in veterinary clinics. This routine fecal examination is recommended two to four times a year for puppies and kittens, and one to two times per year in adult pets, depending on the animal's risk of exposure to the parasites.[3] Other intestinal zoonotic infections in pets, such as salmonellosis, colibacillosis, and toxoplasmosis, require more advanced testing.

Veterinary care is always recommended for ill animals, which also helps to protect human health. Animals that are found to be infected with zoonotic pathogens are treated by veterinarians, thereby reducing the overall risk of human exposure. Here, we discuss a few pathogens commonly found in local pets.

Pathogens Commonly Found in Pets

Pets infected with *Salmonella* or *Campylobacter* produce stool that is immediately infectious to people or other animals. These pathogens are diagnosed in pets via fecal culture, a test that is not commonly performed unless the pet has diarrhea that is resistant to standard treatment. In the case of *Campylobacter*, puppies and kittens are more likely to become infected than adult animals, to develop diarrhea from the infection, and to transmit it to humans. *Salmonella* can infect dogs and cats of all ages via exposure to contaminated pet foods, raw meat, or consumption of prey.[4] To date in 2011, five brands of pigs' ears and taffy-style dog treats have been recalled for potential *Salmonella* contamination.[5] Feeding raw meat to pets has become popular in the past few years, creating additional risk of *Salmonella* exposure to humans through direct contact with the meats, contamination of surfaces, or through exposure to infected pets' feces.

Giardia is a protozoan intestinal parasite that infects most mammals. Just as with bacterial infections, *Giardia* cysts are immediately transmissible to people. Pets become infected when they ingest the cysts in the feces of other animals or drink contaminated water in the environment.[4] Giardiasis is frequently diagnosed in local dogs and occasionally in cats. A 2006 unpublished study of 10 local dog parks by LA County Veterinary Public Health found that approximately 22% of dogs tested positive for the protozoan.

There are many different *Giardia* species and genotypes. The ability to infect an animal varies for each strain. Many strains are not infectious to people. However, since advanced diagnostics like genotyping are rarely performed,[4] the true zoonotic risk from local giardiasis cases in pets is unknown. Fecal centrifugation and flotation tests, and *Giardia* ELISA tests, are commonly performed on pets to identify *Giardia* infections. These tests are often a part of the annual physical exam or are performed when the pet has diarrhea. Local pets are often treated for *Giardia* infection, although recurrence is common.

Toxoplasmosis is a zoonotic disease caused by the protozoan parasite *Toxoplasma gondii*. Cats are the **definitive hosts**, meaning that the parasite can sexually reproduce only in cats, and produce oocysts that are shed in the stool. Cats become infected when they consume infected small prey, such as rodents. Most other animals (including humans, dogs, and rodents) are **intermediate hosts**, meaning that after they

2. 문헌조사

1) 동물배설물이 환경에 미치는 효과에 대한 조사

(1) The Link Between Animal Feces and Zoonotic Disease
(2) 상업용 사료 급여 반려견 배설물에서 배양된 장내 미생물의 분류

"인간의 대변이 건강에 해롭듯이 동물의 대변도 마찬가지이다. 동물이 배변한 후 수거되지 않은 대변은 며칠 또는 몇 주가 지난 후에는 건조하고 분해되어 토양을 오염시키는 주범이 되고 만다.

치워지지 않은 배설물은 기생충에 노출될 위험이 높아지는데 대부분의 기생충 알은 토양에서 몇 달 또는 몇 년 동안 생존할 수 있다. 이런 기생충은 사람과 동물에게서 대변에서 구강을 통해 노출되고 감염될 수 있다. 토양과 자신과 동물 모두를 보호하는 것은 매일 배설물을 제거하는 것이다.

동물의 변은 일반적인 동물 병원균과 박테리아, 지아르디아 낭종의 감염성이 있고 24시간에 고양이는 난모세포가 감염되기 시작하고 7일이면 회충 알이 전염되기 시작한다. 이 병원균들은 냉동 수준에서 몇 주 동안 생존할 수 있고 온도에 따라서 회충알은 몇 년 동안 생존한다.

강아지와 고양이들 그리고 성인은 1년에 1~2번 노출 위험에 따라서 검사가 필요하다.

반려동물에게서 흔히 발견되는 병원균으로는 살모넬라균이나 캄필로박터균이고 이에 감염된 반려동물은 즉시 사람이나 다른 동물들에게 감염시킨다.

박테리아 감염과 마찬가지로 지아르디아 낭종도 사람에게 즉시 전염된다. 이것은 토양을 감염시키고 이런 환경에서 오염된 물을 사람과 동물이 마시게 되면서 다시 감염된다.

야외 고양이들은 야외에서 배변하므로 토양을 오염시키고 오염된 토양은 개, 고양이, 야생동물을 감염시키는데 특히 어린이들이 회충감염의 위험이 높다. 이런 회충은 사람이나 동물에게 내장이나 안구 유충을 일으킬 수 있다."

출처: (1)emily Beeler, DVM, MPH, is a veterinarian, Animal DiseaseSurveillance, Veterinary Public Health and Rabies Control Program, Los Angeles County Department of Public Health. Meredith Mays in the DVM class of 2011, College of Veterinary Medicine, Western University of Health Sciences.
에밀리 빌러, DVM, MPH, 수의사, 동물 질병감시, 수의 공중 보건 및 광견병 통제 프로그램, 로스앤젤레스 카운티 보건부. 메레디스 메이, 2011년 수의학 대학 웨스턴 보건 대학교.

2) 상업용 사료 급여 반려견 배설물에서 배양된 장내 미생물의 분류

"인체에 존재하는 미생물은 매우 다양하고 체내의 세포보다 많은 수로 존재하고 있다. 체내에서 대부분의 미생물은 대장 내에 존재하는데, 우리 몸의 장내 미생물은 살아가는 환경 속에 공존하고 건강과 가장 밀접한 관계를 맺고 있다.

생활의질 향상과 문화생활의 변화로 인해 1인 가구가 증가하고 있으며, 이들과 함께하는 애완견과 고양이는 애완용으로 그치지 않고 반려동물 역할까지 하고 있다. 또한, 저출산과 고령화에 따른 반려동물과 함께 생활하는 가정은 계속 증가하고 있다. 최근 애완용이라기보다는 가족의 한 구성원이 되어 더불어 살아가는 반려동물로 인식하는 가정이 점차 증가하고 있다 (Kimetal. 2019).

장내미생물에 대한 관심은 반려동물에게도 확대되어 최근에는 '반려동물 장내 미생물 서비스'가 등장하였다. 사람과의 소통이 불가능한 반려동물의 질환을 파악하는 데 중요한 자료가 되고 있다. 일상생활에서 접촉이 빈번한 반려동물은 감염성 질환을 전파할 수 있으며 교상, 긁힘, 타액, 배설물등에 의해서 사람에게 전파된다. 따라서 반려동물과 함께하는 사람은 정기적인 예방접종을 실시하여 감염성 질환에 대한 면역력을 높이고 있다. 반려동물의 사육 증가로 인한 감염성 질병 발생은 증가할 것으로 예상되며, 반려동물의 배설물에 생존하고 있는 병원성 미생물에 의해 안질환이나 식중독 발생이 보고되고 있다.

반려동물 분변에서 높은 내성률을 가진 세균이 발견되었다는 것은 일상생활 환경에 노출된 사람에게 위협을 줄 수 있다. 대장균은 장내에 사는 비병원성 정상 상재균으로 비타민 K2 등을 생산하여 이로움을 주는 인체에 해롭지 않은 세균이지만, 항원 형 O157:H7 등은 음식물을 제대로 익히지 않거나 오염된 물을 섭취함으로써 발생하는'햄버거병'이라 불리는 요독성 용혈 증후군(hemolytic uremic syndrome)의 원인 세균이다. 이처럼 반려동물과 함께하는 사람이 늘어남에 따라 반려동물의 건강에 관해 관심이 높아지고 있으며, 특히, 반려동물의 배변 활동은 가장 관심 있게 관찰하는 부분 중 하나이다.

이에 본 연구는 상업용 사료를 급여하는 반려견 배설물을 호기적으로 배양해서 반려견의 장내에 존재하는 장내미생물의 품종별 분포를 조사하고자 하였다. 우리나라에서 반려동물 소비문화에 관한 관심이 증가한 것은 1990년대 이후부터이며, 반려동물과 함께하는 가구 수는 2010년 17.4%, 2017년 28.1%로 점차 증가하여 반려동물도 가족의 일원으로 인식이 바뀌어 가고 있다.(최지희 등, 2019) 하지만 반려동물은 감염성 질환을 전파할 수 있으며 면역력이 저하된 노인들과 영·유아에게 취약하게 작용한다.

물론 반려동물과 함께하는 사람은 정기적인 예방접종을 통해 감염성 질환에 대한 위험성을 감소시키기는 하지만 모든 반려동물에게 이루어지지 않고 있다. 상업용 사료를 급여하는 반려견 배설물을 호기적으로 배양한 결과 모든 품종별 반려견 배설물 16개의 검체에서 2-3 positive 이상 대장균이 검출되는 것을 확인하였다. 본 연구를 통해 상업용 사료를 급여하는 반려견의 배설물에는 대장균이 우월하게 분포한다는 것을 보여주고 있다. 대장균이 반려견의 배설물에 다수 분포한다는 것은 수질오염, 식중독 발생 등 심각한 문제를 초래할 수 있다는 것을 시사한다"

출처: 정무상(Chong, Moo-Sang)한국보건기초의학회지 제13권 제2호 2020.12

제4장. 결론 및 제언

1. 결론

반려동물의 배설물에 대한 잘못된 정보와 인식의 부족에서 오는 반려견 배설물의 미수거는 많은 반려인들의 인식개선을 필요로 한다는 결론이 설문을 통해서 나타났다. 또한 문제를 해결하려는 반려인들의 노력은 높은 것으로 조사되었다.

경기도에 거주하면서 반려견을 키우고 있는 반려인 305명을 대상으로 배설물 처리 실태에 대해 조사한 결과, 반려동물과 산책 시에 배설물을 잘 수거하는 반려인은 86.7%로 수거하지 않는다 와 수거하지 못할 때가 있다는 것에 비해 높은 비율을 나타내고 있다.

수거하지 못한 이유로는 '배변봉투를 준비하지 못해서'가 가장 높은 응답률을 보이고 수거한 배변봉투를 버릴 수 있는 배변수거함 이 없어서가 82.4%로 배설물의 미수거 원인으로 꼽히고 있다. 미수거한 반려인들은 이렇게 미수거된 배설물이 토양에 거름이 될 것이다 라고 생각(11.9%)하고 있었으며, 이번 조사를 통해 동물의 배설물과 토양의 관계에 대해서 정확한 정보제공의 필요성이 대두되었다. 일본에서는 동물의 배변뿐만 아니라 소변도 매너 워터 (물을 물총처럼 생긴 물병에 담아 소변시 물로 소변을 흘려버리는 기구) 소변 처리까지 앞서고 있는데 현재 우리나라는 소변을 실내에서만 처리하고 외부에서는 14.9%로 미비한 처리율을 보이고 있다.

결론적으로 반려동물 배설물은 수거되지 않으면 토양에서 박테리아와 기생충 알로 토양을 오염시키고 동물과 사람에게 감염 시킨다.

"반려견의 배설물은 거름이 되기 어렵고 퇴비로 쓰기에 적합하지 않다. 반려견의 배설물은 산성도가 높으며 산성도가 높으면 퇴비에 악영향을 끼치게 되고 반려동물들은 특히 고단백 사료를 먹기에 배설물의 산성도는 높다. 퇴비로 쓸 경우는 토양에 악영향을 끼친다.

산성화 되면 식물이 자라는데 필수적인 성분인 마그네슘(MG)등의 성분이 유실되고 뿌리 생육에 악영향을 준다 강산성 에서는 미생물이 살기 어려워서 분해도 되지 않는다.

반려견의 배설물에는 대장균 등의 병원균과 기생충이 있어서 인체에 건강에 나쁜 영향을 미칠 수 있으며 이 배설물에는 대장균이 존재하는데 대장균은 식중독을 일으키고 토양에 스며들어 강으로 흘러간다면 수질오염의 척도가 된다.

올바른 배설물 수거 방법으로는 개의 배설물을 제거할 때는 장갑을 끼거나 방수 봉투를 사용하고 수거 후에는 손을 깨끗이 씻는다.
반려동물 산책 시에 배설물은 즉시 수거하여 토양이 오염되지 않도록 하여야 한다."

출처: 원종준 지구를 지키는 배움터 부리더
(K스피릿 2023년 6월 8일 1027JUNE@NAVER.COM발췌)

2. 제언

우리나라는 동물보호법에 2023년 6월 20일 개정 실내에서 동물의 배설물을 처리 안 할시에 동물보호법 (제16조 등록대상동물의 관리배설물 (소변)의 경우에는 공동주택의 엘리베이터, 계단 등 건물 내부의 공용공간 및 평상의자 등 사람이 눕거나 앉을 수 있는 기구 위의 것으로 한정한다) 이 생겼으므로 배설물을 즉시 수거할 것. 이를 수거 하지 않을시 50만 원의 과태료 부과 대상인데 이런 과태료 부과에도 실내에서 소변 처리율은 67.8%에 불과하다.

매너워터를 사용하여 소변을 처리할 의향에 대해서는 긍정적인 반응을 보인 반면 의향은 있지만 번거로울 것 같다 라는 응답도 있으므로 쉽게 소지 가능하고, 조작이 간편한 소변처리의 기구 개발도 필요하다.

많은 시민이 산책 시에 치워지지 않은 배설물을 목격한 경험(96.1%)이 있으며, 주로 산책로와 화단 등 시민들이 다니는 길가에 동물의 배설물이 치워지지 않은 채 방치되고 있었음이 설문을 통해 확인되었다.

이렇게 치워지지 않은 배설물은 반려인뿐만 아니라 비반려인들에게도 매우 불쾌한 생각을 갖게 되고, 이런 지켜지지 않은 펫티켓으로 인한 불쾌한 감정은 하나의 사회적 갈등의 요소로 작용한다.

미수거된 배설물은 동물보호법 (16조 제2항 제3호에 배설물을 수거하지 아니한 소유자는 50만 원의 과태료를 부과) 함에도 많은 반려인들이 배설물을 미수거하고 있으며 이번 조사에서 가장 다루고자 했던 동물의 배설물이 환경에 유해한지 무해한지의 질문에 66.6%가 유해하다고 생각하고 있었고, '잘 모르겠다'가 25.9% 나머지는 '무해하다'라고 답변하여 많은 시민이 배설물이 환경에 어떤 영향을 미치는지에 대한 관련 정보가 미비하다고 판단되었다.

이렇게 버려진 배설물은 토양에 거름이 될 것으로 생각하는 응답자는 27.3%로 거름이 되지 않는다(41.7%) 혹은 잘모르겠다(31%)라고 답변해 이 부분의 선행연구와 후속 연구가 필요하다.

이 연구의 제한점으로 첫째 경기도, 그 외 지역 일부 반려인 비반려인을 상대로 조사하여 우리나라 전체 반려인의 인식 결과를 얻기에는 부족하지만 305명 조사를 통해 연구 결과에 유의미한 결과를 도출해 냈다.

둘째 이 연구를 시작하기에 앞서 가설이 되는 반려동물 배설물이 유해하다는 해외기사가 있었고 (메레디스메이 수의학대학 웨스턴 보건 대학교.2011) 예비설문지 기초조사부터 실제 설문조사 문헌조사를 통해 반려인들의 펫티켓의 인식과 필요성 제도개선과 미수거된 반려동물 배설물이 환경 토양에 미치는 오염평가에까지 올바른 펫티켓으로 반려동물 배설물의 철저한 수거 즉 펫티켓의 인식강화가 되어야 한다는 중요한 결과에 이르렀다.

이러한 제한점에도 불구하고 이번 연구를 통해 펫 배변플로깅 캠페인과 배설물 관련 설문조사를 통해 반려인들의 인식개선에 기여했다는 점은 고무적이라 판단된다. 또한, 연구 결과를 미수거된 배설물의 환경 관련 문제, 펫티켓, 인식개선, 지자체 배설물 수거함 증설 등 반려문화 조성의 기초자료로 활용할 수 있으며, 갈등의 해결책인 배설물 처리인식 개선 교육과 배설물 수거함은 물적인 인프라가 필요하므로 지자체 동물복지 정책에 제안할 수 있는 중요한 연구 결과를 산출했다고 볼 수 있다.

반려인들의 펫티켓은 배설물 처리에서 더 나아가 소변을 매너워터로 처리하는 데까지 성장할 수 있을 것으로 사료된다.

지자체마다 배설물 수거함이 많은 곳도 있고 상대적으로 미비한 곳도 있다. 예로 하남시는 공원에 100미터당 배설물 수거함이 있는 반면에 구리시는 큰 공원에 2개소로 반려동물과 산책 시 배설물이 생기면 먼 거리를 걸어서 수거함에 넣거나 집에 귀가 시까지 소지하다가 집에 가서 수거하는 불편함이 있다 보니 많은 반려인들이 배설물 수거에 적극적이지 않은 모습을 보이고 있다. 이는 개개인의 펫티켓에만 의존할 것이 아니라 지자체와 공동주택에서 같이 고민하고 해결해 나가야 할 모습이다.

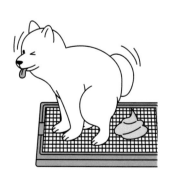

참고문헌

(1) emilyBeeler,DVM, MPH, is a veterinarian, Animal DiseaseSurveillance, Veterinary Public Health and Rabies Control Program, Los Angeles County Department of Public Health. Meredith Mays in the DVM class of 2011, College of Veterinary Medicine, Western University of Health Sciences.

에밀리 빌러, DVM, MPH, 수의사, 동물 질병감시,
수의 공중 보건 및 광견병 통제 프로그램,
로스앤젤레스 카운티 보건부. 메레디스 메이
2011년 수의학 대학 웨스턴 보건 대학교.

(2)상업용 사료 급여 반려견 배설물에서 배양된 장내 미생물의 분류
정무상(Chong, Moo-Sang) 한국보건기초의학회 한국보건기초의학회지
제13권 제2호 2020.12

(3)원종준 지구를 지키는 배움터 부리더
(K스피릿 2023년 6월 8일 1027JUNE@NAVER.COM발췌)

별표 및 부록 - 설문지

반려동물 배설물 처리 실태 및 인식에 대한 설문조사

반려동물을 키우는 가구가 늘어남에 따라 반려동물의 배설물 처리는 매우 중요한 문제가 되어가고 있습니다. 이에 본 설문조사는 반려동물 배설물 처리에 대한 실제적인 인식과 실태를 파악하여 보다 나은 반려동물 배설물 처리 방법을 모색해 보고자 합니다.
미수거되는 반려동물 배설물 처리에 대한 유해성과 실태를 파악하고, 이를 통해 지역사회에서 반려인과 비반려인이 공존할 수 있는 기초자료로 활용하고자 합니다. 많은 관심과 참여 부탁드립니다.

1. 귀하의 연령대는 어떻게 되십니까?
①10대 ②20대 ③30대 ④40대 ⑤50대 ⑥60대

2. 귀하의 성별은 무엇입니까?
①남   ②여

3. 귀하의 거주지는 어디입니까?
(   )

4. 현재 반려동물을 키우는 중이십니까?
①키우는 중이다
②키웠던 적이 있다
③앞으로 키울 계획에 있다
④키우지 않는다 (비반려인은 10번 문항으로 이동해 주십시오.)

5. 어떤 반려동물과 함께하고 계십니까? (반려인만 체크 부탁드립니다)
① 반려견 1마리
② 반려견 2마리 이상
③ 반려묘 1마리
④ 반려묘 2마리 이상
⑤ 견과 묘 함께

6. 산책 시 반려동물 배설물을 잘 수거하고 계십니까?
① 수거하지 않는다
② 잘 수거하지 않는 편이다
③ 보통이다
④ 수거하는 편이다
⑤ 철저하게 수거한다

7. 수거하지 못하였다면 이유는 무엇입니까? (중복체크 가능합니다)
① 배변봉투를 미처 준비하지 못해서
② 배변봉투를 버릴 가까운 휴지통이 없어서
③ 배변봉투를 집까지 가져오는 것이 번거로워서
④ 화단이나 토양에 거름이 될 것이라 크게 문제 될 것이 없다고 생각해서

8. 산책 시 반려동물의 소변도 처리하고 계십니까? (실외, 실내 모두)
① 그렇다 ②아니다 ③실내만 처리 (공공시설, 공용공간 등)

9. 해외사례에서 반려동물 소변으로 인한 환경오염이나 설치물 부식, 악취 등의 우려로 산책 시 물병에 물을 담아 소변 처리 시 물을 뿌려주는 매너가 있습니다. 매너워터를 사용하여 소변을 처리할 의향이 있으십니까?
① 있다 ② 없다 ③ 잘 모르겠다 ④ 의향은 있지만 번거로울 것 같다

10. 반려동물의 배설물이 치워지지 않은 것을 목격한 적이 있으십니까?
① 있다 ②없다

11. 배설물이 치워지지 않은 곳은 어디였습니까? (중복체크 가능합니다)
① 주택가 ② 아파트 ③ 인도 ④ 공원산책로 ⑤ 화단

12. 미수거된 배설물을 보고 어떤 생각이 드셨습니까? (중복체크 가능합니다)
① 냄새와 벌레 꼬임으로 인한 불쾌감
② 실수로 밟게 될까 우려됨
③ 반려인들의 펫티켓 강화
④ 배설물 처리를 돕는 도구 및 휴지통 비치의 필요성
⑤ 벌금 강화로 강력한 규제 필요
⑥ 반려동물 배설물이 환경에 미치는 유해성

13. 반려동물의 미수거 된 배설물이 환경에 유해하다고 생각하십니까?
① 유해하다   ② 무해하다   ③ 잘 모르겠다

14. 반려동물의 배설물이라도 토양(발길 닿지 않는 숲 등)에 버려진다면 거름이 될 것으로 생각하십니까?
① 그렇다   ②아니다   ③잘 모르겠다

15. 반려동물 배설물은 바이러스 등으로 생태계 교란을 일으킬 수 있다고 생각하십니까?
① 그렇다   ② 아니다   ③ 잘 모르겠다

16. 반려동물 배설물이 잘 처리되기 위해 필요한 건 무엇이라고 생각합니까?
(중복체크 가능합니다)
① 반려인의 인식
② 배설물 전용 수거함
③ 배변봉투 비치함
④ 배설물 수거 캠페인
⑤ 반려문화 조례 재정
⑥벌금 강화

17. 산책길에서 반려동물 배변 전용 수거함을 보신 적이 있으십니까?
① 있다   ②없다

18. 반려동물 전용 수거함이 배설물 처리에 필요하다고 생각하십니까?
① 그렇다   ② 아니다

마지막으로 올바른 반려문화에 대하여 의견이 있으시면 자유롭게 작성해 주세요.

리드줄없이 산책하다 사고로 연결되는 경우도 많이 봤습니다.
산책 시 리드줄은 생명줄이라 생각하는데 이 부분도 인식이 높아졌으면 좋겠습니다.

반려인들의 인식이 향상되어야 할 것 같다.

배설물 처리를 확실히 하기 위해선 캠페인,벌금강화,수거함 비치는 꼭 필요합니다.

배변봉투 폐기함이 더 많아진다면 개선에 크게 기여할 것이다.

실제 벌금 부과 사연 알리기

배설물 수거함이 개수가 너무 적어 좀 많이 생겼으면 좋겠습니다.

신경을 쓴다고 해도 실수로 배변봉투를 챙기지 못하는 경우가 있는데 종이봉투라도
비치가 되어있으면 좋을 것 같다.

동물등록의 의무화로 반려인들의 연락처를 시 동물복지팀에서 확보, 지속적인 펫티
켓에 대한문자 발송 등의 교육을 했으면 한다.

반려견을 키운다면 배변은 당연히 치워야 하는게 맞다고 생각합니다. 그러나 해외에
서 물을 가지고 있다가 소변한 곳에 뿌려주는 에티켓이 있다는 것은 지금 알았습니
다. 앞으로 저도 그런 에티켓을 실행하도록 생각하게 되었습니다.

교육강화와 수거함이 곳곳에 있으면 좋겠음.

기본교육을 통한 입양이 필요하다고 생각합니다.

개똥을 지혜롭게 처리하는 노력

개똥 퇴비화하기

1991년 알래스카에 있는 페어뱅크스 토양 및 수질보호 행정구에서 미국 농무부 자연자원 보호청으로부터 기술적인 자원을 받아 알래스카에 있는 썰매견 개 주인들과의 협력으로 연구된 내용으로 배설물을 퇴비화하는 방법을 보여주고 있다.

배설물을 제대로 처리하지 못하고 방치하게 되면 하천을 오염시키는 요인이 되는데 퇴비화를 하면 배설물로부터 환경을 지킬 수 있다.
퇴비화 성공 때에는 토양의 물리적 환경과 양분을 개선해 주는 양질의 비료가 생산되고 퇴비화 설비 마련 시에는 쓰레기로 배출할 필요가 없어져 시간 돈 에너지를 절약할 수 있다.

 An official website of the United States government

 Natural Resources
Conservation Service
U.S. DEPARTMENT OF AGRICULTURE

출처: 미국 농무부(USDA)의 [개똥 퇴비화하기] (Composting Dog Waste)의 핸드북 표지

개똥 와이파이 (poo WIFI)

개똥이 돈이 된다면 어떨까?

개똥을 이용한 활용 사례들을 보면 멕시코시티 공원에서는 개똥과 와이파이를 교환할 수 있다. 똥을 주워서 수거함에 넣으면 기계가 무게를 달아 그만큼의 시간을 정해서 무료 와이파이를 이용할 수 있다.

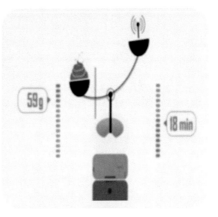

출처:Terra_Poo wifi 홍보영상 중 일부분

개똥은 전기가 되기도 한다.

캐나다의 poop power 프로젝트에서는 특수한 수집 용기를 설치하여 수집한 개똥을 비료 등과 섞어서 처리 과정을 거치면서 가스로 전기를 쓰는 사업을 진행했다.

처음에는 3개소로 시작한 사업이 5개소로 늘어났고 5개월 치 발전량을 분석해보니 수집 기당 13가구가 사용할 수 있는 전기가 생산되었으며, 대기 중 이산화탄소를 제거하는 효과까지 있었다.

영국의 말번 힐 에서는 가로등 아래에 달린 커다란 통에 개똥을 넣으면 기계 속에 있는 미생물이 개똥을 분해해서 메탄가스를 만들고 이것을 튜브로 끌어올려 가로등 불을 밝혀준다는 프로젝트가 시작됐는데 개똥 10봉지면 가로등을 두 시간 밝힐 수 있다. 미국 역시 개똥을 이용해 전기를 생산하는 바이오매스 사업에 주력하고 개똥을 수거함에 넣을 때마다 반려용품점에서 쓸 수 있는 포인트를 제공하는 스타트업을 지원한다.

출처:매일경제 city life 제731호 (20.06.02 기사 개똥의 재발견

Biofuel production

Pet plogging 캠페인

반려인이 많은 해외에서부터 골칫거리가 된 개똥의 처리를 연구하고 발전해오고 있듯이 반려인 1,500만을 넘어서고 급성장하고 있는 우리나라도 지속적인 연구로 문제시되고 있는 개똥을 에너지원으로 바꿔서 사용한다면 배설물 처리로 인한 지자체의 고민과 민원이 사라질 것이라는 기대를 해본다.

▲ 몇 년간 반려인들과 함께 진행한 '펫티켓매너' 캠페인.

PooPrints®
The DNA Solution for Dog Waste™
By BioPet Laboratories

Compare PooPrints.com & MrDogPoop.com

It would be difficult for anyone to look at our 2 companies and compare our products side by side and think we that both offer the exact same service.

PooPrints is busy selling and supporting distributorships while Mr Dog Poop is building direct customer relationships and improving our DNA product and management tools.

When all the facts are compared, Mr Dog Poop's CRIME LAB should be a simple choice over a PooPrints program.

Processes & Product Differences

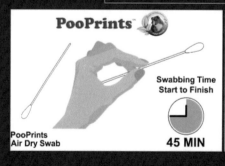

PooPrints provides a very inexpensive stock fiber swab and then asks the users to let it air dry for at least 30 minutes. Their process makes DNA sampling difficult, highly vulnerable to cross contamination and very time consuming. Their choice not to include gloves with the collection kits makes it even more likely that samples will be cross contaminated and compromise any possible matches with dog poop samples.

At Mr Dog Poop we build more expensive custom self drying collection tubes so that your samples can never be cross contaminated and samples can be taken anywhere, anytime in just seconds. We also provide gloves with every kit so sampling multiple dogs is never an issue and samples can remain both free of human and other dog's DNA .

배설물 DNA 추적 후 벌금 부과 'Poo Print'

반려견이 공원과 길거리 등에 '실례한' 분뇨를 제대로 수거하지 않는 견공 주인들을 찾아내기 위해 미국과 영국, 캐나다 등 일부 국가에서는 반려동물의 DNA를 활용해 배설물 주인을 추적하는 'PooPrint'라는 반려동물 폐기물 관리 프로그램이 서비스되고 있다.
이 서비스는 국가적 복지가 아닌 기업의 서비스 상품으로 진행되고 있다.

이 서비스를 이용하는 대상은 대부분 부동산 소유주인 사람들이 많았으며 소유하고 있는 건물이나 토지오염을 방지하려는 용도로 서비스를 시용하고 있다.

반려동물의 DNA샘플을 채취하여 생성된 프로필은'세계 애완동물 DNA 등록소'에 등록되며, 이 후 PooPrints에서 개발한 수집 키트를 사용해 방치된 배설물과 DNA를 대조해 배설물의 주인을 찾아내고 소유자에게 벌금을 부과하는 방식이다.

이 서비스가 적용되는 지역에서는 반려동물 폐기물이 전과 비교했을 때 약 95% 감소하는 효과를 보고 있다는 것으로 집계되고 있다.

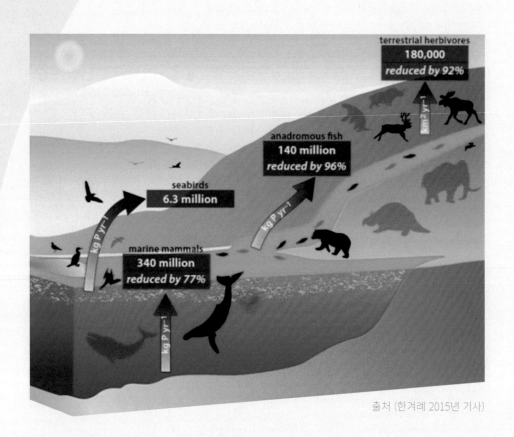

출처 (한겨레 2015년 기사)

인간과 동물은 배설물을 땅에다 뿌리고 그 땅에서 난 식물을 먹으며 자원은 계속 돌고 돌아 순환되어 인간에게 돌아오고 있다. 동물의 배설물은 불필요한 골칫덩어리가 아니라 귀한 자원이 될 수도 있다.

동물들의 배설물을 인간인 우리가 잘 연구해서 좋은 자원으로 사용하는 것이 창조주로부터 지음받은 동물을 잘 돌보고 만드신 자연을 잘 보존하는 길이 될 것으로 사려된다.

- 국가의 위대함과 도덕적 진보는
동물을 대하는 방식으로 판단할 수 있다 -

The greatness and moral progress of a nation can be judged
by the way it treats animals.

(마하트마 간디Mahatma Gandhi)

FORPETS

1.교육하개
입양전,후 맞춤교육, 영양케어 ,사회화교육
2.같이보개
공동체돌봄 및 펫시터
3.만들어볼개 (one day)
반려용품 ,홈미용, 펫테라피
4.함께하개
발달장애인 .독거노인과함께
5.나눠줄개
아나바다, 스텐딩찻집, 음악회, 반려견올림픽

Mob 010-7764-7504 Tel / fax 070-4045-7504
E-mail forpets71@naver.com

blog blog.naver.com/forpets71
forpets71 TALK 아름다운동행포펫츠

FORPETS

아름다운동행 for pets 는

반려인과 비반려인들의 갈등과
유기견의 증가 등 반려견으로
발생하는 사회적 문제 속에서
다양한 교육방법을 연구합니다.

포펫츠의 다양한 활동을 통해
반려견들이 사회 구성원으로 함께 하며
반려인의 삶의 질을 높이는데 노력합니다.

다양한 문화행사를 통해서
반려문화 수준을 한차원 높이는데 기여하며
행복한 삶을 함께 하는 바람직한
반려문화를 만들어 가고자 합니다.

반려견의 배설물과 환경의 연관성에 대한 보고

발행   2023년 12월 20일
저자   임혜희
편집   아름다운동행포펫츠협동조합 교육부
블로그   blog.naver.com/forpets71
연락처   070-4833-7505
디자인   전유민
삽화   Freepik.com

펴낸이   한건희
펴낸곳   주식회사 부크크
출판사등록   2014.07.15.(제2014-16호)
주소   서울특별시 금천구 가산디지털1로
              119 SK 트윈타워 A동 305호
전화   1670-8316
이메일   info@bookk.co.kr

ISBN   979-11-410-5994-1

아름다운동행
FORPETS

동물매개심리상담소